D0811435

# MES PREMIERES
# *Chansons*

Illustrations de Sylvie Rainaud
Adaptation musicale de
Elisabeth Bonmariage

Editions HEMMA

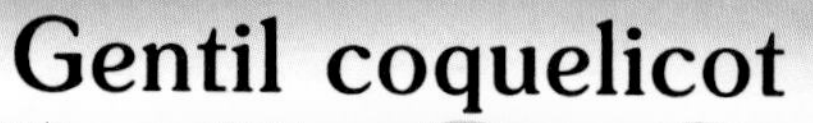

# Gentil coquelicot

J'ai descendu dans mon jardin, (bis)
Pour y cueillir du romarin.
Gentil coq'licot, Mesdames, } Refrain
Gentil coq'licot nouveau. }

Pour y cueillir du romarin. (bis)
J'n'en avais pas cueilli trois brins,
Refrain

J'n'en avais pas cueilli trois brins, (bis)
Qu'un rossignol vint sur ma main.
Refrain

Qu'un rossignol vint sur ma main. (bis)
Il me dit trois mots en latin :
Refrain

Il me dit trois mots en latin : (bis)
Que les hommes ne valent rien,
Refrain

Que les hommes ne valent rien, (bis)
Et les garçons encore bien moins.
Refrain

Il pleut bergère
Allegretto
Il pleut, il pleut ber- gè- re,
Ren- tre tes blancs mou- tons;
Al- lons à la chau- -miè- re,
Ber- gè- re, vite al- lons--------
J'en- tends sur le feui- la- ge,
l'eau qui coule à grand bruit----------;
Voi- ci ve-nir l'o- ra- ge,
Voi- ci l'é- clair qui luit------------------.

Il pleut, il pleut, bergère,
Rentre tes blancs moutons.
Allons à la chaumière,
Bergère, vite, allons.
J'entends, sur le feuillage,
L'eau qui tombe à grand bruit.
Voici venir l'orage,
Voilà l'éclair qui luit.

Entends-tu le tonnerre?
Il roule en approchant.
Prends un abri, bergère,
A ma droite, en marchant.
Je vois notre cabane,
Et, tiens, voici venir
Ma mère et ma sœur Anne,
Qui vont l'étable ouvrir.

Bonsoir, bonsoir, ma mère;
Ma sœur Anne, bonsoir.
J'amène ma bergère
Près de vous pour ce soir.
Va te sécher, ma mie,
Auprès de nos tisons,
Sœur, fais-lui compagnie.
Entrez, petits moutons.

Soupons, prends cette chaise,
Tu seras près de moi.
Ce flambeau de mélèze
Brûlera devant toi.
Goûte de ce laitage!
Mais tu ne manges pas?
Tu te sens de l'orage,
Il a lassé tes pas.

Eh bien! voilà ta couche,
Dors-y jusques au jour.
Laisse-moi, de ta bouche,
Entendre un mot d'amour,
Ne rougis pas, bergère,
Ma mère et moi, demain,
Nous irons chez ton père
Lui demander ta main.

# Nous n'irons plus au bois

Nous n'irons plus au bois, les lauriers sont coupés.
La belle que voilà, la lairons-nous danser?
Entrez dans la danse,
Voyez comme on danse,
Sautez, dansez,
Embrassez qui vous voudrez!

La belle que voilà, la ferons-nous danser?
Mais les lauriers du bois, les lairons-nous faner?
Entrez dans la danse, etc.

Mais les lauriers du bois, les lairons-nous faner?
Non, chacune à son tour ira les ramasser.
Entrez dans la danse, etc.

Non, chacune à son tour ira les ramasser.
Si la cigale y dort, ne faut pas la blesser.
Entrez dans la danse, etc.

Si la cigale y dort, ne faut pas la blesser;
Le chant du rossignol la viendra réveiller.
Entrez dans la danse, etc.

Le chant du rossignol la viendra réveiller.
Et aussi la fauvette avec son doux gosier.
Entrez dans la danse, etc.

Et aussi la fauvette avec son doux gosier,
Et Jeanne la bergère avec son blanc panier.
Entrez dans la danse, etc.

Et Jeanne la bergère avec son blanc panier,
Allant cueillir la fraise et la fleur d'églantier.
Entrez dans la danse, etc.

Allant cueillir la fraise et la fleur d'églantier.
Cigale, ma cigale, allons, il faut chanter.
Entrez dans la danse, etc.

Cigale, ma cigale, allons il faut chanter,
Car les lauriers du bois sont déjà repoussés.
Entrez dans la danse, etc.

# J'ai du bon tabac

J'ai du bon tabac dans ma tabatière,
J'ai du bon tabac, tu n'en auras pas.
J'en ai du fin et du bien râpé,
Mais ce n'est pas pour ton fichu nez.
J'ai du bon tabac dans ma tabatière,
J'ai du bon tabac, tu n'en auras pas.

# Il était un petit navire

Il était un petit navire, (bis)
Qui n'avait ja-ja-jamais navigué. (bis)
Ohé! Ohé!

Il partit pour un long voyage, (bis)
Sur la mer Mé-Mé-Méditerranée. (bis)
Ohé! Ohé!

Au bout de cinq à six semaines, (bis)
Les vivres vin-vin-vinrent à manquer. (bis)
Ohé! Ohé!

On tira z'a la courte paille, (bis)
Pour savoir qui-qui-qui serait mangé. (bis)
Ohé! Ohé!

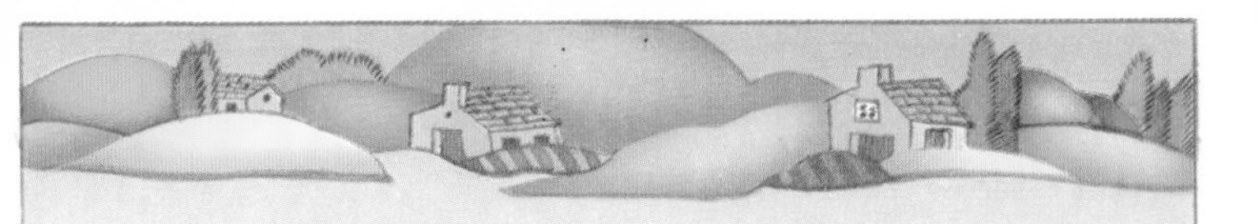

Le sort tomba sur le plus jeune, (bis)
C'est donc lui qui-qui-qui sera mangé. (bis)
Ohé! Ohé!

On cherche alors à quelle sauce, (bis)
Le pauvre enfant-fant-fant sera mangé. (bis)
Ohé! Ohé!

L'un voulait qu'on le mit à frire, (bis)
L'autre voulait-lait-lait le fricasser. (bis)
Ohé! Ohé!

Pendant qu'ainsi l'on délibère, (bis)
Il monte en haut-haut-haut du grand hunier. (bis)
Ohé! Ohé!

Il fait au ciel une prière, (bis)
Interrogeant-geant-geant l'immensité. (bis)
Ohé! Ohé!

Mais regardant la mer entière, (bis)
Il vit des flots-flots-flots de tous côtés. (bis)
Ohé! Ohé!

Oh! sainte Vierge, ma patronne, (bis)
Cria le pau-pau-pauvre infortuné. (bis)
Ohé! Ohé!

Si j'ai péché, vite pardonne, (bis)
Empêche-les de-de-de me manger. (bis)
Ohé! Ohé!

Au même instant, un grand miracle, (bis)
Pour l'enfant, fut-fut-fut réalisé. (bis)
Ohé! Ohé!

Des p'tits poissons dans le navire, (bis)
Sautèrent par-par-par et par milliers. (bis)
Ohé! Ohé!

On les prit, on les mit à frire, (bis)
Le jeune mou-mou-mousse fut sauvé. (bis)
Ohé! Ohé!

Si cette histoire vous amuse, (bis)
Nous allons la-la-la recommencer. (bis)
Ohé! Ohé!

# Savez-vous planter les choux?

Savez-vous planter les choux,
A la mode, à la mode,
Savez-vous planter les choux,
A la mode de chez nous?

On les plante avec le pied,
Etc.

On les plante avez le nez,
Etc.

On les plante avec les mains,
Etc.

On les plante avec le coude,
Etc.

# Il court, il court le furet

Il court, il court, le furet,
Le furet du bois, Mesdames.
Il court, il court, le furet,
Le furet du bois joli.

Il a passé par ici,
Le furet du bois, Mesdames.
Il a passé par ici,
Le furet du bois joli.
Etc.

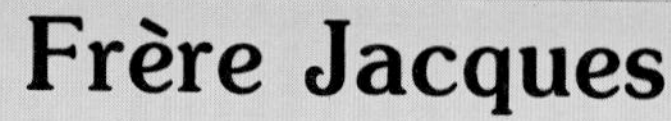


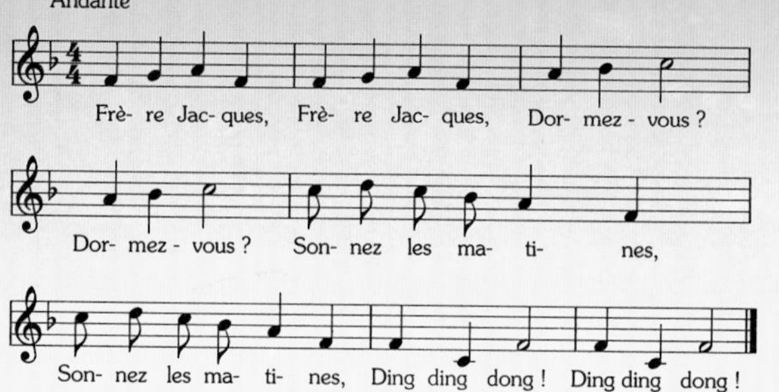


Frère Jacques, Frères Jacques,
Dormez-vous? Dormez-vous?
Sonnez les matines, sonnez les matines
Ding ding dong! Ding ding dong!

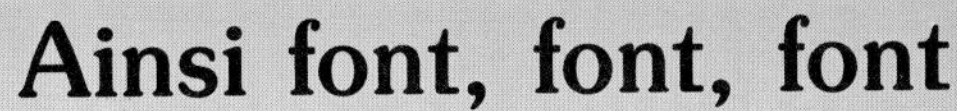

# Ainsi font, font, font

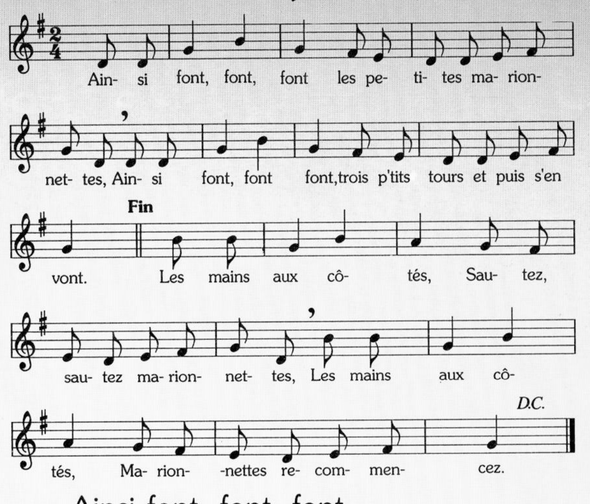


Ainsi font, font, font
Les petites marionnettes,
Ainsi font, font, font
Trois p'tits tours et puis s'en vont.

Les mains aux côtés,
Sautez, sautez, marionnettes.
Les mains aux côtés,
Marionnettes recommencez.

# Trois jeunes tambours

Trois jeun'tambours s'en revenant de guerre, (bis)
Ran, ran, ran, pataplan!
S'en revenaient de guerre.

Le plus jeune a, dans sa bouche, une rose, (bis)
Ran, ran, ran pataplan!
Dans sa bouche, une rose.

La fill' du roi était à sa fenêtre, (bis)
Ran, ran, ran pataplan!
Etait à sa fenêtre.

Joli tambour, donnez-moi votre rose, (bis)
Ran, ran, ran pataplan!
Donnez-moi votre rose.

Fille du roi, serez-vous donc ma mie, (bis)
Ran, ran, ran pataplan!
Serez-vous donc ma mie?

Joli tambour, demandez à mon père, (bis)
Ran, ran, ran pataplan!
Demandez à mon père.

Sire le roi, donnez-moi votre fille, (bis)
Ran, ran, ran pataplan!
Donnez-moi votre fille.

Joli tambour, tu n'es pas assez riche, (bis)
Ran, ran, ran pataplan!
Tu n'es pas assez riche.

J'ai trois vaisseaux dessus la mer jolie, (bis)
Ran, ran, ran pataplan!
Dessus la mer jolie.

Joli tambour, je te donne ma fille, (bis)
Ran, ran, ran pataplan!
Je te donne ma fille.

# Maman, les p'tits bateaux

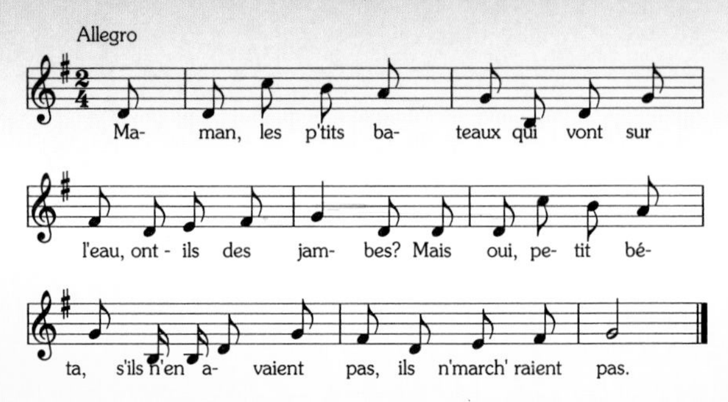


Maman les p'tits bateaux
Qui vont sur l'eau
Ont-ils des jambes?

Mais oui, petit bêta,
S'ils n'en avaient pas,
Ils ne march'raient pas.

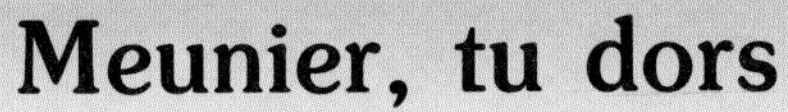

Meunier, tu dors,
Ton moulin va trop vite.
Meunier, tu dors,
Ton moulin va trop fort.

# Il était une bergère

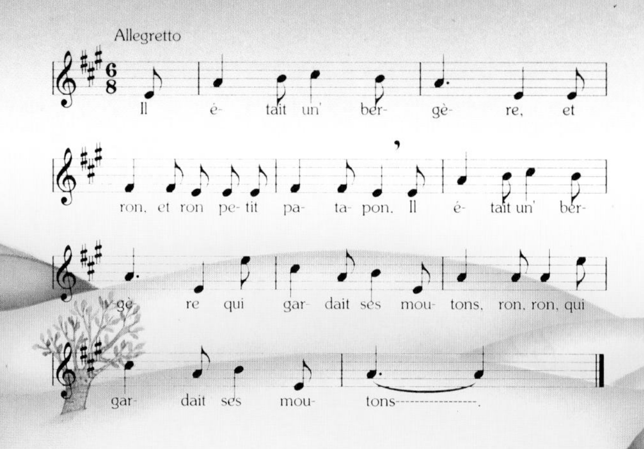


Il était un'bergère,
Et ron, et ron, petit patapon,
Il était un'bergère,
Qui gardait ses moutons,
Ron, ron,
Qui gardait ses moutons.

Elle fit un fromage,
Et ron, et ron, petit patapon,
Elle fit un fromage,
Du lait de ses moutons,
Ron, ron,
Du lait de ses moutons.

Le chat qui la regarde,
Et ron, ron, ron, petit patapon,
Le chat qui la regarde,
D'un petit air fripon,
Ron, ron,
D'un petit air fripon.

Si tu y mets la patte,
Et ron, ron, ron, petit patapon,
Si tu y mets la patte,
Tu auras du bâton,
Ron, ron,
Tu auras du bâton.

Il n'y mit pas la patte,
Et ron, ron, ron, petit patapon,
Il n'y mit pas la patte,
Il y mit le menton,
Ron, ron,
Il y mit le menton.

# Le roi Dagobert

Le bon roi Dagobert
Fut mettre son bel habit vert.
Le grand Saint Eloi
Lui dit : « O mon roi!
Votre habit paré
Au coude est percé. »
« C'est vrai, lui dit le roi,
Le tien est bon, prête-le moi. »

Le bon roi Dagobert
Mangeait en glouton du dessert.
Le grand Saint Eloi
Lui dit : « O mon roi!
Vous êtes gourmand,
Ne mangez pas tant. »
« Bah! bah!, lui dit le roi,
Je ne le suis pas tant que toi. »

Le bon roi Dagobert
Se battait à tort à travers.
Le grand Saint Eloi
Lui dit : « O mon roi!
Votre Majesté
Se fera tuer. »
« C'est vrai, lui dit le roi,
Mets-toi bien vite devant moi. »

Le bon roi Dagobert
Craignait fort d'aller en enfer.
Le grand Saint Eloi
Lui dit : « O mon roi!
Je crois bien, ma foi,
Qu'vous irez tout droit. »
« Eh bien, lui dit le roi,
Ne peux-tu pas prier pour moi? »

Quand Dagobert mourut,
Le Diable aussitôt accourut.
Le grand Saint Eloi
Lui dit : « O mon roi!
Satan va passer
Faut vous confesser. »
« Hélas! lui dit le roi,
Ne pourrais-tu mourir pour moi? »

# Malbrough s'en va t'en guerre

Malbrough s'en-va-t'en guerre,
Mironton, mironton, mirontaine.
Malbrough s'en-va-t'en guerre,
Ne sait quand reviendra. (ter)

Il reviendra z'à Pâques,
Mironton, mironton, mirontaine,
Il reviendra z'à Pâques,
Ou à la Trinité. (ter)

La Trinité se passe,
Mironton, mironton, mirontaine,
La Trinité se passe,
Malbrough ne revient pas. (ter)

Madame, à sa tour, monte,
Mironton, mironton, mirontaine,
Madame, à sa tour, monte,
Si haut qu'elle peut monter. (ter)

Ell' voit venir son page,
Mironton, mironton, mirontaine,
Ell'voit venir son page,
Tout de noir habillé. (ter)

Beau page, ah! mon beau page,
Mironton, mironton, mirontaine,
Beau page, ah! mon beau page,
Quelle nouvelle apportez? (ter)

Aux nouvell's que j'apporte,
Mironton, mironton, mirontaine,
Aux nouvell's que j'apporte,
Vos beaux yeux vont pleurer. (ter)

Monsieur Malbrough est mort,
Mironton, mironton, mirontaine,
Monsieur Malbrough est mort,
Est mort et enterré. (ter)

A l'entour de sa tombe,
Mironton, mironton, mirontaine,
A l'entour de sa tombe,
Romarin fut planté. (ter)

Sur la plus haute branche,
Mironton, mironton, mirontaine,
Sur la plus haute branche,
Un rossignol chantait. (ter)

On vit voler son âme,
Mironton, mironton, mirontaine,
On vit voler son âme,
Au travers des lauriers. (ter)

La cérémonie faite,
Mironton, mironton, mirontaine,
La cérémonie faite,
Chacun s'en fut coucher.

# Sur le Pont d'Avignon

Sur le Pont d'Avignon,
L'on y danse, l'on y danse;
Sur le Pont d'Avignon,
L'on y danse tous en rond.

Refrain

Les professeurs font comm'ça
Et puis encore comm' ça.
Les écoliers etc.
Les demoiselles etc.
Les belles dames etc.
Les beaux messieurs etc.
Les militair's etc.
Les comédiens etc.
Les avocats etc.
Etc.

Pour chacun des personnages, on imite
les saluts ou les gestes.
On reprend ensuite le refrain.

# Cadet Rousselle

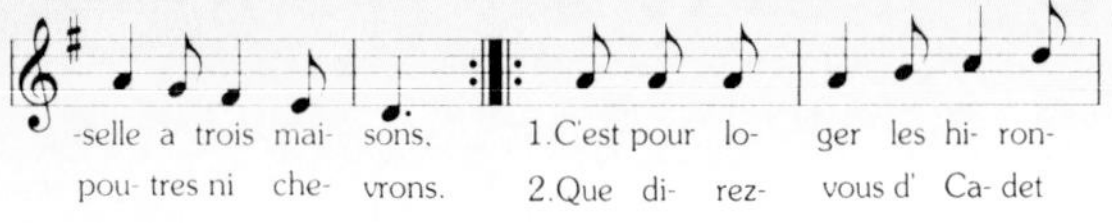


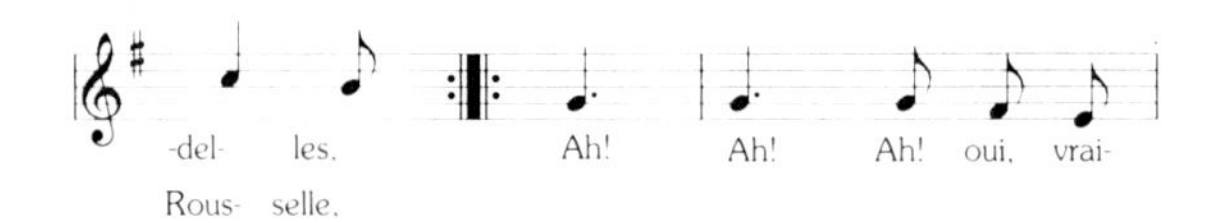

Cadet Rousselle a trois maisons, (bis)
Qui n'ont ni poutres ni chevrons. (bis)
C'est pour loger les hirondelles,
Que direz-vous d'Cadet Rousselle?
Ah! ah! ah! oui vraiment,
Cadet Rousselle est bon enfant. } Refrain

Cadet Rousselle a trois habits, (bis)
Deux jaunes, l'autre en papier gris. (bis)
Il met celui-ci quand il gèle,
Ou quand il pleut ou quand il grèle.
Refrain

Cadet Rousselle a trois chapeaux, (bis)
Les deux ronds ne sont pas très beaux. (bis)
Et le troisième est à deux cornes,
De sa tête, il a pris la forme.
Refrain

Cadet Rousselle a une épée, (bis)
Très longue, mais toute rouillée. (bis)
On dit qu'ell' ne cherche querelle
Qu'aux moineaux et aux hirondelles.
Refrain

Cadet Rousselle a trois cheveux, (bis)
Un pour chaqu'face, un pour la queue. (bis)
Pourtant parfois avec adresse,
Il les met tous les trois en tresse.
Refrain

Cadet Rousselle a trois garçons, (bis)
L'un est voleur, l'autre est fripon. (bis)
Le troisième est un peu ficelle,
Il ressemble à Cadet Rousselle.
Refrain

Cadet Rousselle a trois gros chiens, (bis)
L'un court au lièvr', l'autre au lapin. (bis)
L'troisièm' s'enfuit quand on l'appelle,
Comm' le chien de Jean de Nivelle.
Refrain

Cadet Rousselle a marié (bis)
Ses trois filles dans trois quartiers. (bis)
Les deux premièr's ne sont pas belles,
La troisièm' n'a pas de cervelle.
Refrain

Cadet Roussell' ne mourra pas, (bis)
Car avant de sauter le pas, (bis)
On dit qu'il apprend l'orthographe
Pour fair' lui-mêm' son épitaphe.
Refrain

# La mère Michel

C'est la mère Michel qui lui a demandé :
Mon chat n'est pas perdu! Vous l'avez donc trouvé?
Et l'compère Lustucru qui lui a répondu :
Donnez un' récompense, il vous sera rendu.
Refrain

Et la mère Michel lui dit : C'est décidé,
Si vous rendez mon chat, vous aurez un baiser.
Le compèr' Lustucru, qui n'en a pas voulu,
Lui dit : Pour un lapin, votre chat est vendu.
Refrain

# Au clair de la lune

Au clair de la lune,
Mon ami Pierrot,
Prête-moi ta plume
Pour écrire un mot.
Ma chandelle est morte,
Je n'ai plus de feu;
Ouvre-moi ta porte,
Pour l'amour de Dieu.

Au clair de la lune,
Pierrot répondit :
Je n'ai pas de plume;
Je suis dans mon lit.
Va chez la voisine,
Je crois qu'elle y est,
Car, dans sa cuisine,
On bat le briquet.

12

Compère Guilleri
Il é- tait un p'tit hom- me, Ap-
-pe- lé Guil- le- ri, Ca- ra- bi. Il
s'en fut à la chas- se, A
la chasse aux per- drix. Ca- ra- bi- to-
to- ca- ra- bo. Mar- -chand d'ca- ra- bas, com-
pè- re Guil- le- ri te lai- ras
tu, te lai- ras- tu, te lai- ras- tu mou- ri ?
Il était un p'tit homme
Appelé Guilleri.
Carabi!
Il s'en fut à la chasse,
A la chasse aux perdrix.
Carabi,
Toto carabo. Marchand d'carabas
Compère Guilleri te lairas-tu
te lairas-tu mouri ?

Il s'en fut à la chasse,
A la chasse aux perdrix.
Carabi!
Il monta sur un arbre,
Pour voir ses chiens couri.
Carabi,...

Il monta sur un arbre,
Pour voir ses chiens couri.
Carabi!
La branche vint à rompre,
Et Guilleri tombi.
Carabi,...

La branche vint à rompre,
Et Guilleri tombi.
Carabi!
Il se cassa la jambe
Et le bras se démit.
Carabi,...

Il se cassa la jambe
Et le bras se démit.
Carabi!
Les dam's de l'Hôpital
Sont arrivées au bruit.
Carabi,...

Les dam's de l'Hôpital
Sont arrivées au bruit.
Carabi!
L'une apporte une emplâtre,
L'autre de la charpie.
Carabi,...

L'une apporte une emplâtre,
L'autre de la charpie.
Carabi!
On lui banda la jambe
Et le bras lui remit
Carabi,...

On lui banda la jambe
Et le bras lui remit.
Carabi!
Pour remercier ces dames,
Guill'ri les embrassi.
Carabi,...

Pour remercier ces dames,
Guill'ri les embrassi.
Carabi!
Ça prouv' que par les femmes
L'homme est toujours guéri.
Carabi...

# Prom'nons nous dans les bois

Tous :

Prom'nons-nous dans les bois,
Pendant que le loup n'y est pas.
Si le loup y était,
Il nous mangerait.
Mais comm' il n'y est pas,
I' n' nous mang'ra pas.
Loup y es-tu?
Que fais-tu?
M'entends-tu?

Refrain

Le loup :
Je mets ma chemise.

Tous :
Refrain

...
Je mets ma culotte!
...
Je mets mes bottes!
...
Je mets mes lunettes!
Etc.
...
Je prends mon fusil! J'arrive.
...

Tous:
Sauvons-nous!

# Fais dodo
# Pierrot mon petit frère

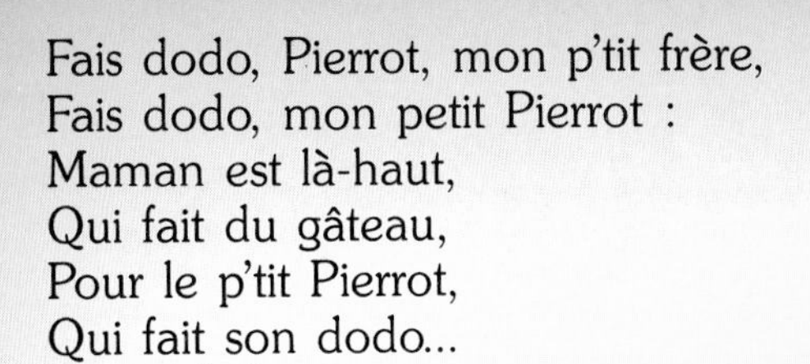

Fais dodo, Pierrot, mon p'tit frère,
Fais dodo, mon petit Pierrot : } Refrain
Maman est là-haut,
Qui fait du gâteau,
Pour le p'tit Pierrot,
Qui fait son dodo...
Refrain (bis)

Papa est sur l'eau,
Qui fait des bateaux,
Pour le p'tit Pierrot,
Qui fait son dodo.
Refrain

# En passant par la Lorraine

En passant par la Lorraine,
Avec mes sabots, (bis)
Rencontrai trois capitaines,
Avec mes sabots, dondaine,
Ho! Ho! Ho!
Avec mes sabots!

Rencontrai trois capitaines,
Avec mes sabots! (bis)
Ils m'ont appelée : vilaine!
Avec mes sabots, dondaine,
Ho! Ho! Ho!
Avec mes sabots!

Ils m'ont appelée : vilaine!
Avec mes sabots! (bis)
Je ne suis pas si vilaine,
Avec mes sabots, dondaine,
Ho! Ho! Ho!
Avec mes sabots!

Je ne suis pas si vilaine,
Avec mes sabots, (bis)
Puisque le fils du roi m'aime
Avec mes sabots, dondaine,
Ho! Ho! Ho!
Avec mes sabots!

Il m'a donné pour étrennes, (bis)
Avec mes sabots,
Un joli pied de verveine,
Avec mes sabots, dondaine,
Ho! Ho! Ho!
Avec mes sabots!

Un joli pied de verveine, (bis)
Avec mes sabots!
S'il fleurit, je serai reine,
Avec mes sabots, dondaine,
Ho! Ho! Ho!
Avec mes sabots!

S'il fleurit, je serai reine, (bis)
Avec mes sabots!
S'il y meurt, je perds ma peine,
Avec mes sabots, dondaine,
Ho! Ho! Ho!
Avec mes sabots!

N° d'impression : 3859011

Imprimé en Belgique
Dépôt légal : 1.91/0058/49